Les Pommes
de Terre

John Fenton-Smith

Page 2 : Une salade de pommes de terre à la grecque constitue un plat agréable pour le déjeuner ou pour accompagner un barbecue ou tout repas en plein air. Vous trouverez la recette de cette préparation p. 18.

Coordinatrice de projet : Barbara Beckett
Rédactrice : Alison Leach
Illustratrice : Maggie Renvoize
Photographe : Rodney Weidland
Présentation des aliments avec l'assistance de John Fenton-Smith
Produit par Barbara Beckett Publishing
Séparation des couleurs : G.A. Graphics, Stamford, Royaume-Uni
Imprimeur : Imago, Singapour

Catalogué à la British Library
Un enregistrement est disponible à la British Library

Titre : Les Pommes de Terre
ISBN : 2 - 7434 - 0703 - 4

Sommaire

Conseils du cuisinier

Mesures

Toutes les cuillerées sont rases. On donne les mesures standard en cuillerées dans presque toutes les recettes. La série des cuillers comprend 1 cuillerée à soupe, 1 cuillerée à café, 1/2 cuillerée à café et 1/4 de cuillerée à café. Pour les liquides, se servir d'un verre gradué standard en litres.

Les fours doivent être préchauffés à la température indiquée. Lors de la cuisson à la casserole ou à la poêle, faire cuire à feu moyen à moins d'indication contraire.

Ingrédients

Il existe environ 300 variétés de **pommes de terre** reconnues aujourd'hui dans le monde. Comme dans un ouvrage de cette taille il est impossible de s'y référer, j'ai considéré les types non farineux ou farineux et je vous conseille de les choisir parmi les variétés locales, quelle que soit la saison. Pour les **herbes aromatiques**, les quantités sont données pour des herbes fraîches, si celles-ci ne sont pas disponibles, diviser la quantité par deux pour les herbes séchées. Utiliser du **poivre** noir au moulin partout où l'on mentionne le poivre ; assaisonner de **sel** et poivre à volonté. Utiliser de la **farine** ordinaire (pour tous usages) à moins d'indication contraire. Les **huiles** utilisées comprennent l'huile d'olive vierge pressée à froid et les huiles d'arachide ou de maïs pour apporter des saveurs ; sinon on recommande l'huile de tournesol plutôt que toutes autres huiles végétales. Utiliser du **beurre** non salé. Le **sucre** semoule est utilisé à moins d'indication contraire. Certaines recettes demandent l'utilisation de **bouillon** de volaille, à dissoudre dans l'eau, qui s'achète dans la plupart des supermarchés en cubes ou en poudre.

Ce dessert aux patates douces et à la noix de coco (p. 16) est tout à fait original. Sucré et épicé avec une pointe citronnée.

Introduction

La toute banale pomme de terre est un de nos légumes les plus délicieux. Elle provient d'Amérique du Sud et c'est l'un des légumes cultivés les plus anciens que l'on connaisse. Aliment de base dans la nourriture des Incas il y a au moins 8 000 ans, la pomme de terre est aujourd'hui l'une des quatre récoltes les plus importantes, aux côtés du riz, du blé et du maïs. Pour parvenir sur notre table, la pomme de terre qui nous vient d'Amérique du Sud est arrivée en Europe aux alentours du règne de la reine Élisabeth Ire. Adoptée bien vite par l'Irlande, elle s'est ensuite répandue sur d'autres lieux du continent, puis en France au XVIIIe siècle, avant de se propager en d'autres points du globe sous l'influence de l'expansion de l'Europe.

On peut faire cuire les pommes de terre à l'eau, à la vapeur, au four ou les faire rôtir, en frites, en purée ou encore les faire partiellement cuire et les congeler. On peut les servir en entrée, comme accompagnement ou toutes seules, comme plats principaux, ou même encore en dessert ! On peut faire de nombreuses et délicieuses salades avec les pommes de terre, sous toutes sortes de formes et portant l'originalité de chaque pays.

Cet ouvrage vous apprend comment faire cuire les pommes de terre, même si vous n'avez encore jamais cuisiné, en vous expliquant les étapes de base aussi bien que les techniques culinaires que vous pouvez ne jamais avoir essayées auparavant ou qui vous intimident un peu.

Les instructions sont présentées clairement. On vous guide étape par étape à travers les différentes méthodes de préparation, telles que la cuisson à la vapeur, au four ou à la poêle. De nombreuses recettes sont accompagnées de la préparation en images pour illustrer une technique spéciale aussi bien que le résultat avec le plat fini et la façon de le présenter à table. Des illustrations détaillées présentent, étape par étape comment couper les pommes de terre en dés, en bâtonnets pour les frites ou encore comment faire des scones aux pommes de terre. On donne également des conseils pratiques, entre autres, comment éviter la décoloration, comment choisir entre pommes de terre non farineuses ou farineuses et comment faire des frites particulièrement croustillantes.

Un glossaire de termes culinaires, page 48, vous permet de rechercher tout terme inconnu. Page 5, on vous propose une liste des recettes à laquelle vous reporter. N'oubliez pas de lire les renseignements sur les mesures et les ingrédients page 6.

Une des choses les plus importantes à faire lorsque vous essayez une nouvelle recette est de la lire parfaitement avant de commencer. Vérifiez que vous avez bien tous les ingrédients et faites une estimation du temps nécessaire. Avez-vous le temps de faire une recette sophistiquée comme les boulettes de pommes de terre aux herbes ou feriez-vous mieux de préparer une purée ou bien de faire rôtir les pommes de terre au four ?

Il fut un temps où les pommes de terre étaient considérées comme un légume faisant grossir, mais en fait, avec presque 80 % d'eau, et riches en nombreuses vitamines et minéraux, elles se révèlent être un légume important pour une alimentation saine. La plupart de ces éléments sont situés juste sous la peau, ou même dans la peau, par conséquent, c'est une bonne idée que de faire cuire les pommes de terre avec leur peau toutes les fois que c'est possible.

La plus grande partie des vitamines et des minéraux est constituée par la vitamine C et le fer, mais la pomme de terre permet également un apport en potassium qui contrebalance la consommation de sel. Le sel, bien sûr, est considéré par de nombreux experts en médecine comme fauteur d'hypertension et des maladies de cœur.

Quelle que soit la méthode de cuisson utilisée, une préparation minutieuse est importante. Jetez toute pomme de terre portant des taches vertes et enlevez les yeux lorsqu'elles germent, de même que toutes parties talées ou coupées par suite de manutention excessive et de traitements à rude épreuve au cours de la récolte. Si vous devez les éplucher (n'oubliez pas que les éléments nutritifs se trouvent dans la peau), enlevez la peau uniformément, sans couper trop profondément. Les petites pommes de terre nouvelles ne demandent qu'à être frottées légèrement avec des serviettes en papier humides.

Lorsque vous établissez les proportions entre convives, suivez ces grandes lignes toutes simples : par personne, quatre petites pommes de terre sont l'équivalent d'une vieille pomme de terre de taille moyenne ou d'une petite patate douce.

Les pommes de terre peuvent se taler, aussi, lorsque vous les achetez ou les rangez, manipulez-les avec autant de précautions que possible. Lorsque vous achetez des pommes de terre, achetez-en qui soient fermes, sèches, sans germes, et sans taches vertes. Les taches vertes apparaissent sous l'effet de l'exposition au soleil et elles contiennent des alcaloïdes qui sont toxiques. Conservez-les dans un endroit sec, frais et sombre où l'air peut circuler librement. L'humidité engendre moisissure et pourriture et la chaleur fait germer. Ne les conservez jamais dans un sac en plastique. Sortez les toujours du sac dès que vous arrivez chez vous — et ne les rangez jamais près d'aliments qui dégagent une forte odeur, oignons par exemple.

On emploie les termes nouvelles et vieilles lorsque l'on se réfère aux pommes de terre. Par ces termes, on décrit leur âge, pas leur type. Les vieilles pommes de terre proviennent de l'année passée et les nouvelles sont celles de la récolte de la saison en cours. Pour les pommes de terre nouvelles, la taille, la variété et le type (farineuses, non farineuses) sont sans importance. Les pommes de terre nouvelles qui viennent d'être ramassées sont en général plus douces que les vieilles parce que le sucre ne s'est pas encore transformé en amidon. La peau des pommes de terre nouvelles n'est pas entièrement développée et pèle, pouvant facilement s'enlever en frottant tout simplement avec le pouce.

Il existe des centaines de variétés de pommes de terre et de marques qui diffèrent d'un pays à l'autre, quoique moins de quinze soient disponibles dans un même endroit. Le choix se limite pour la plupart entre les pommes de terre à peau blanche et à peau rouge. La chair peut être blanche et crémeuse, jaune et ferme, douce et non farineuse ou farineuse et de textures intermédiaires. Les pommes de terre farineuses sont les types secs qui contiennent davantage d'amidon que les types non farineux et par suite conviennent mieux pour la cuisson au four ou la purée, mais elles cuisent mal à l'eau car elles se désagrègent pendant la cuisson.

Il y a également la patate douce. Pas tout à fait une pomme de terre, elle est comme elle originaire d'Amérique du Sud et des Antilles et se trouve aussi dans les pays du Pacifique. Sa peau peut être rosée ou café au lait et elle est de forme allongée et noueuse. Sa chair peut être orange vif, jaunâtre ou blanche. On l'utilise pratiquement comme la pomme de terre mais elle est souvent préparée en dessert à cause de sa forte teneur en sucre. Comparée à une pomme de terre blanche, une patate douce apporte davantage de calories, de minéraux et de vitamine A, mais moins de protéines.

Il ne faut pas d'ustensiles spéciaux pour cuisiner les pommes de terre quoiqu'un bon vieux presse-purée soit pratique. Il est nécessaire d'avoir une sélection de couteaux bien aiguisés à la cuisine. Casseroles et poêles sont bien plus efficaces si elles ont un fond métallique épais et des couvercles parfaitement hermétiques. Le fond épais garantit une cuisson régulière et la conservation de la chaleur. Un mixer est un investissement utile si vous avez l'intention de vous mettre à cuisiner sérieusement, il vous fait gagner du temps tout en économisant votre énergie.

Et maintenant, amusez-vous bien et bonne cuisine !

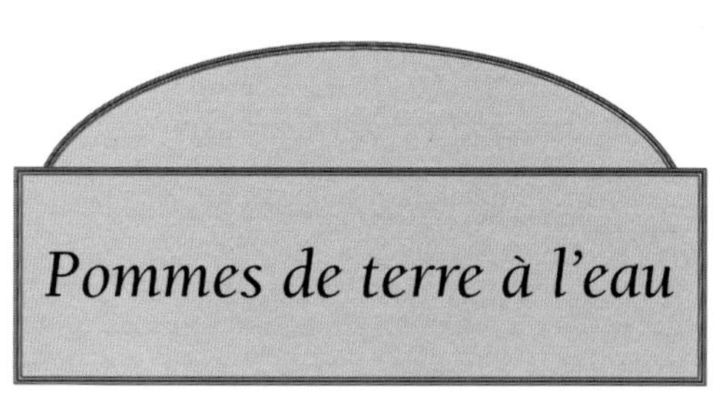

Pommes de terre à l'eau

La cuisson à l'eau est l'une des techniques culinaires les plus anciennes et les plus efficaces. Toute la surface du légume est en contact avec l'eau bouillante à une température constante de 100 °C. Il faut deux fois moins de temps pour faire cuire une pomme de terre à l'eau que pour la faire cuire au four à une température deux fois plus élevée !

Pour qu'une pomme de terre cuite à l'eau conserve toute sa saveur et se tienne bien pendant la cuisson, il faut en choisir de préférence une qui ait la chair ferme, non farineuse, blanche ou jaunâtre. Une pomme de terre non farineuse contient moins d'amidon et plus de liquide que les autres types, elle garde ainsi sa forme et absorbe moins d'eau pendant la cuisson. Elle est par conséquent idéale pour être utilisée en soupes et salades. Si on doit la mettre en purée, utiliser une variété farineuse.

Pour les cuire à l'eau entières, recouvrez-les d'eau, portez à ébullition, puis baissez le feu pour les faire mijoter pendant 20–30 minutes, selon la grosseur des pommes de terre. On doit mettre les pommes de terre nouvelles à cuire dans l'eau bouillante, tandis que les vieilles pommes de terres sont mises à bouillir dans l'eau froide. Lorsqu'on peut transpercer les pommes de terre à l'aide d'une fine brochette métallique ou en bambou, on peut les retirer du feu. Égouttez-les bien et si vous ne les servez pas immédiatement, recouvrez-les d'un torchon propre (pas un couvercle) pour faire dégager l'humidité en excès et que la chair des pommes de terre devienne farineuse et sèche, sans être pâteuse.

On peut manger les pommes de terre nouvelles avec la peau. Les vieilles pommes de terre sont cuites à l'eau en laissant la peau, que l'on enlève ensuite en tenant la pomme de terre dans un torchon sec. Pour enrichir la saveur de la pomme de terre, remplacer le liquide de cuisson par du lait ou du bouillon. Les éléments nutritifs des pommes de terre se dissolvent moins vite dans le lait et elles sont plus sucrées qu'à l'ordinaire. Le lait doit cuire à feu doux, sans roussir ni cailler. Une fois les pommes de terre cuites, on peut utiliser le liquide pour faire une soupe ou une sauce à la crème.

Soupe aux patates douces

Pour 6 personnes :

900 g de patates douces, épluchées et coupées en dés
900 ml d'eau
1 oignon émincé
1 cuillerée à soupe d'huile de tournesol
250 ml de yaourt nature
½ cuillerée à café de sel, s'il y a lieu
1 cuillerée à soupe de persil finement haché, en garniture
1 cuillerée à soupe d'écorce d'orange râpée, en garniture

Faites cuire les patates douces à l'eau jusqu'à ce qu'elles soient tendres. Faites revenir l'oignon dans l'huile jusqu'à ce qu'il soit transparent. Écrasez les patates en purée en incorporant peu à peu liquide et oignon jusqu'à ce que le mélange soit crémeux. Mettez la casserole de purée sur le feu et ajoutez le yaourt et le sel et chauffez doucement. Servez avec la garniture de persil et d'écorce d'orange.

Une salade campagnarde (p. 15) ajoute de l'éclat à une table si vous utilisez des poivrons de différentes couleurs (piments doux) lorsque c'est la saison.

Les pommes de terre ont non seulement différents types de chair mais également une grande variété de formes, grosseurs et couleurs.

Soupe de pommes de terre et carottes

Soupe simple à réaliser, les carottes ajoutent une note de couleur vive. Utiliser des pommes de terre non farineuses qui gardent bien leur forme.

Pour 4 personnes :

2 cuillerées à soupe d'huile de tournesol
1 petit oignon, coupé en dés
5 carottes, coupées en dés
2 pommes de terre fermes ou non farineuses, coupées en dés
1 l d'eau
Sel et poivre
1 cuillerée à café de marjolaine hachée
1 cuillerée à café de paprika
¼ de cuillerée à café de sucre

Faites chauffer l'huile dans une marmite, ajoutez l'oignon et faites sauter pendant 2 minutes. Ajoutez les carottes et faites cuire pendant encore 3 minutes. Ajoutez les pommes de terre et l'eau et faites mijoter pendant 1 heure ou jusqu'à ce que les légumes soient tendres. Assaisonnez avec le sel et le poivre, la marjolaine, le paprika et le sucre.

Bouillon de pommes de terre. *Ne pas jeter le liquide de cuisson des pommes de terre une fois que celles-ci sont cuites à l'eau, il contient une grande quantité de vitamines et minéraux provenant de la peau ; mais l'utiliser pour faire cuire d'autres légumes ou comme bouillon de soupe.*

Salade de pommes de terre élémentaire

Il est indispensable que les pommes de terre se tiennent bien dans une salade, choisissez-les fermes et non farineuses.

Pour 6 personnes :

1 kg de pommes de terre
125 ml de mayonnaise
4 cuillerées à soupe de vinaigrette
½ cuillerée à café de sucre
2 cuillerées à soupe de persil haché
3 échalotes hachées
Sel et poivre, à votre goût

Faites cuire les pommes de terre à l'eau, avec la peau, pendant 20 minutes. Faites-les égoutter et lorsqu'elles ont suffisamment refroidi pour être manipulées, épluchez-les et coupez-les en dés ou en rondelles. Mélangez tous les autres ingrédients dans un saladier, ajoutez les pommes de terre et remuez doucement.

Sauce vinaigrette

Pour environ 175 ml :

125 ml d'huile d'olive
2 cuillerées à soupe de vinaigre
1 cuillerée à café de moutarde (facultatif)
1 cuillerée à soupe de mélange d'herbes aromatiques
Sel et poivre

Mélangez parfaitement tous les ingrédients, ou placez-les dans un récipient muni d'un couvercle et secouez bien.

Comment couper les légumes en dés

Recouper en cubes de 12 mm des pommes de terre préalablement coupées en bâtonnets.

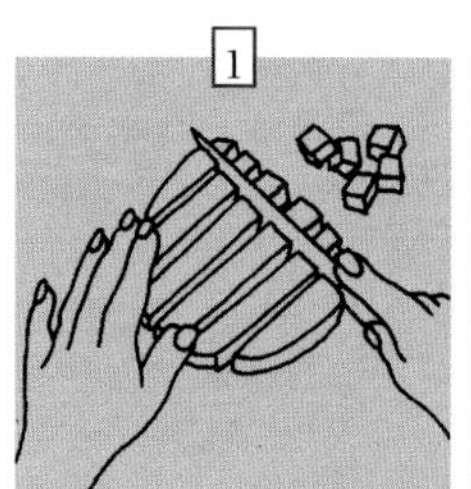

Couper les patates douces en morceaux égaux.

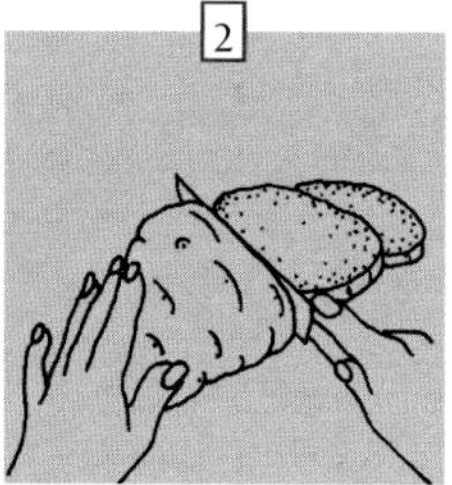

Couper les oignons en tranches minces avant de les couper en dés.

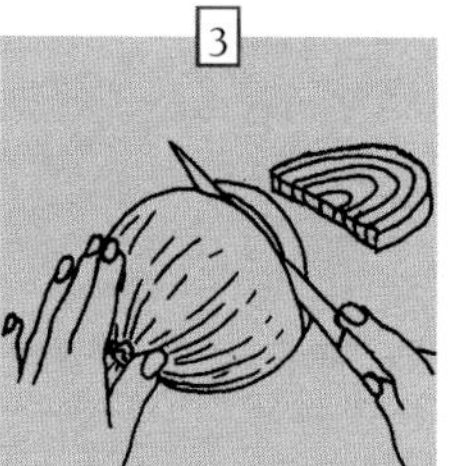

Couper les carottes en rondelles.

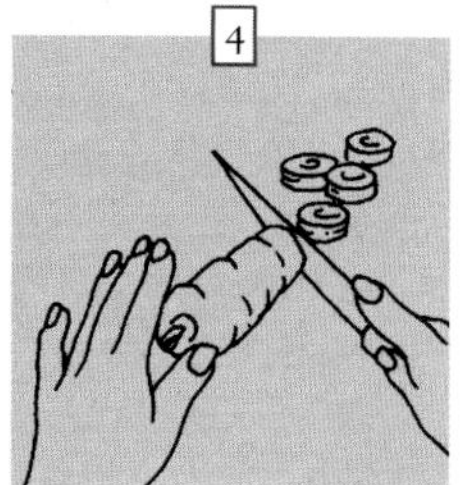

Préparation des poivrons (piments doux) et œufs entiers mimosa

Couper la queue du poivron. Sortir les graines et filaments de l'intérieur.

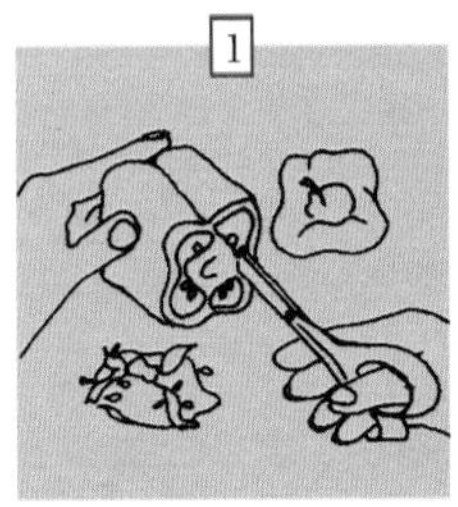

Couper le poivron en rondelles.

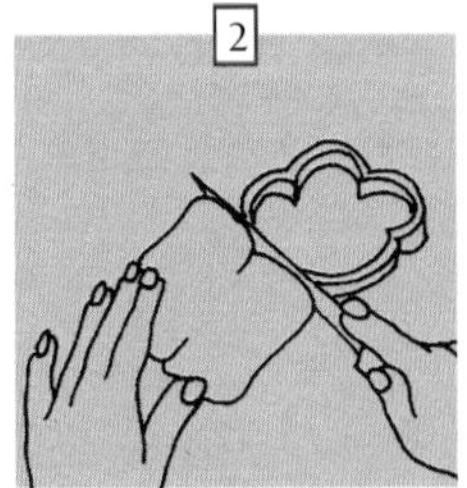

Couper les œufs durs en rondelles égales dans le sens de la longueur.

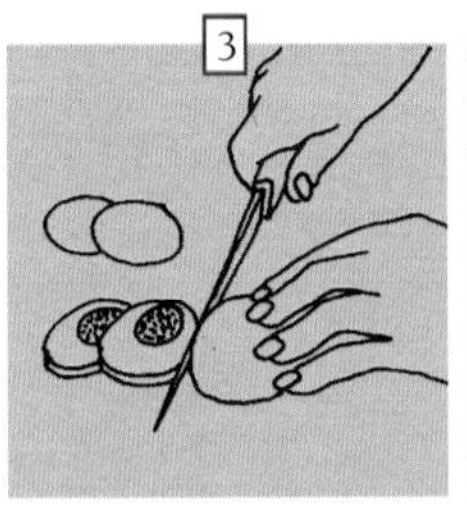

Écraser les œufs et les passer.

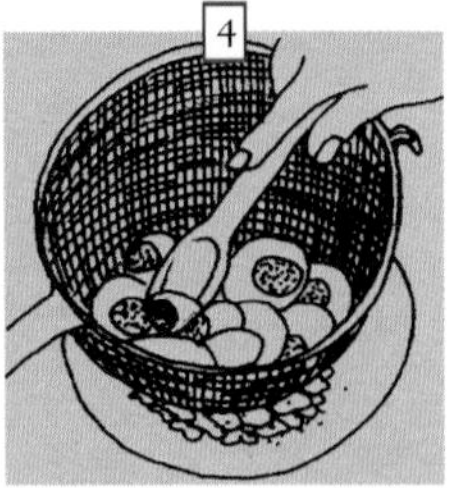

Salade de pommes de terre à la menthe

Pour 6 personnes :
2 litres de bouillon
1 kg de pommes de terre
3 cuillerées à soupe de brins de menthe

Dans une grande casserole, amenez le bouillon à ébullition, ajoutez les pommes de terre et la menthe et laissez cuire pendant 20 minutes jusqu'à ce qu'elles soient juste tendres.

Égouttez-les bien, faites-les refroidir et épluchez-les, puis coupez-les en dés ou en rondelles et ajoutez la sauce de votre choix.

Salade de pommes de terre chaudes

Pour 6 personnes :
1 livre ½ de pommes de terre non farineuses
4 oignons verts (ciboule), hachés menu
Sel et poivre
4 tranches de lard, sans couenne, coupé en petits dés (lardons)
2 cuillerées à soupe de vinaigre de vin blanc
2 cuillerées à soupe de persil haché, en garniture

Faites cuire les pommes de terre à l'eau, avec la peau, jusqu'à ce qu'elles soient juste tendres. Égouttez-les et coupez-les en rondelles. On peut laisser la peau ou non. Mettez-les dans un saladier tiède et mélangez-les avec les oignons. Assaisonnez avec un peu de sel et beaucoup de poivre. Entre-temps, faites frire doucement les lardons jusqu'à ce qu'ils soient croustillants. Égouttez, puis ajoutez-les à la salade. Versez le vinaigre sur la graisse de cuisson des lardons, remuez et faites bien chauffer. Arrosez la salade et mélangez doucement. Garnissez avec le persil.

La salade campagnarde est une manière simple et saine de mêler une grande variété de produits fermiers frais, y compris de la viande, en un plat unique fantastique.

Salade campagnarde

Dans la campagne française et italienne, des ingrédients relevés peuvent transformer cette banale salade de pommes de terre en un repas complet. À défaut de pommes de terre non farineuses, choisissez des pommes de terre nouvelles cuites avec la peau puis épluchées.

Pour 6 personnes :

1,5 livre de pommes de terre
2 poivrons rouges (poivrons doux), coupés en rondelles
200 g de saucisse de porc cuite, coupée en rondelles
2 échalotes, hachées très menu
4 tomates fermes, coupées en quartiers
175 ml de sauce vinaigrette (p. 13)
2 œufs durs, hachés et passés, pour la garniture
100 g d'olives noires en garniture

Faites cuire les pommes de terre à l'eau, coupez-les en rondelles épaisses et placez-les dans un grand plat. Ajoutez les poivrons, la saucisse, les échalotes et les tomates. Arrosez de vinaigrette et mélangez doucement. Garnissez avec les œufs et les olives.

Dessert aux patates douces et à la noix de coco

Grâce à sa relative douceur, la patate douce est plus largement utilisée que la pomme de terre ordinaire pour les desserts. Originaire du Pacifique, sa saveur se marie bien avec la noix de coco pour créer des desserts savoureux et originaux.

Pour 6 personnes :

1 kg de patates douces
Zestes et jus de 2 citrons verts ou citrons ordinaires
2 jaunes d'œufs
175 g de cassonade
185 g de noix de coco déshydratée (râpée)
½ cuillerée à café de cannelle en poudre
3 gouttes d'essence de vanille (concentré)

Épluchez les patates, coupez-les en morceaux égaux et faites-les bouillir avec le zeste d'un citron jusqu'à ce qu'elles soient tendres. Égouttez et écrasez-les en purée. Laissez-les refroidir.

Incorporez les jaunes d'œufs et le sucre en fouettant, mélangez à la purée de patates, puis ajoutez les autres ingrédients, y compris le zeste et le jus de citron. Beurrez un plat allant au four et versez-y le mélange. Mettez dans un four préchauffé 180 °C, et faites cuire pendant 1 heure jusqu'à ce que le gâteau ait levé et que le dessus soit bien doré.

Pour ce dessert aux patates douces et à la noix de coco, choisissez la variété de légume de couleur rose-orangé pour que le plat soit davantage coloré.

Cuisson à la vapeur

La cuisson à la vapeur est une autre façon de faire cuire à l'eau, et les recettes sont par conséquent interchangeables. Il est préférable de prendre des pommes de terre non farineuses pour la cuisson à la vapeur. Placez-les, avec ou sans peau, directement dans le panier du cuit-vapeur, ce dernier contenant 5 cm d'eau bouillante, en veillant à ce que l'eau n'arrive pas au fond du panier, couvrez et faites cuire à la vapeur pendant 20-30 minutes jusqu'à ce qu'elles soient tendres. Il faut parfois ajouter un peu d'eau bouillante pendant la cuisson.

Lorsque les pommes de terre doivent être utilisées en salade, rafraîchissez-les sous l'eau froide, ou couvrez-les d'un torchon si vous devez les maintenir chaudes.

De nombreuses variantes délicieuses peuvent être utilisées pour transformer vos pommes de terre à la vapeur en plats exceptionnels. Ajoutez des herbes aromatiques dans l'eau de cuisson pour assaisonner, la vapeur apportant une saveur délicate aux pommes de terre. Faites l'expérience avec de l'ail, du gingembre frais, des herbes aromatiques fraîches ou séchées, des bâtons de cannelle, des grains de poivre, des baies de genièvre ou même du vin, pour ne citer que quelques variantes.

Différents types de cuit-vapeur

Cuit-vapeur métallique multi-niveaux, l'eau étant mise dans la casserole de base.

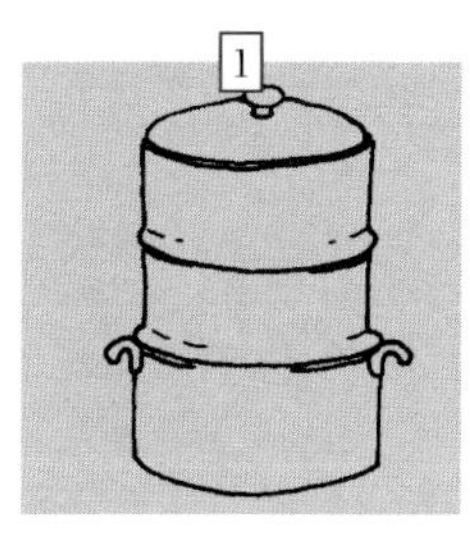

Panier qui s'adapte sur la plupart des casseroles.

Cuit-vapeur chinois constitué de paniers en bambou superposés qui permet de faire cuire plusieurs aliments en même temps.

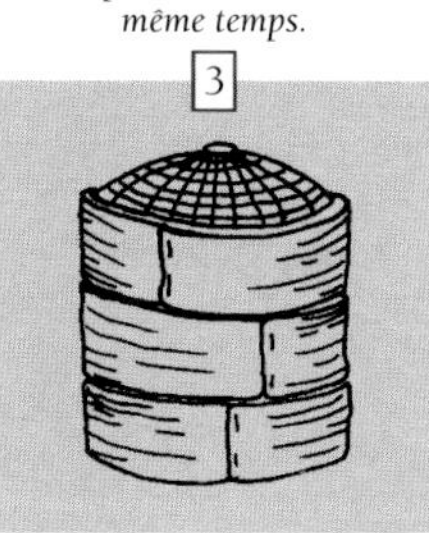

Coupe transversale du cuit-vapeur chinois, montrant les différents niveaux placés au-dessus du récipient de base contenant l'eau.

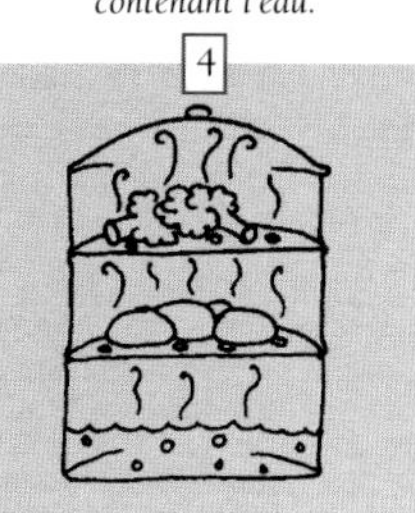

Pommes de terre caramélisées

Ces pommes de terre s'accommodent bien avec l'agneau ou la dinde rôtis. Les gourmets les adoreront.

Pour 4 personnes :

16 petites pommes de terre nouvelles ou non farineuses
15 g de sucre en poudre (extra-fin)
1 cuillerée à soupe de beurre fondu.
1 cuillerée à soupe d'huile de tournesol
Poivre

Faites cuire les pommes de terre à la vapeur jusqu'à ce qu'elles soient tendres. Mettez le sucre dans une grande poêle à frire, sur feu doux à moyen, et laissez cuire en remuant souvent avec une cuillère en bois. Au bout de cinq minutes, le sucre fond et commence à bouillir. Laissez bouillir sans remuer pendant encore 3 minutes ou jusqu'à ce qu'il soit bien doré et encore sirupeux. Incorporez le beurre fondu et l'huile en travaillant rapidement et remuez jusqu'à ce que le mélange soit bien homogène. Ajoutez les pommes de terre cuites, en secouant la poêle sans arrêt jusqu'à ce que les pommes de terre soient toutes enduites uniformément de caramel. Assaisonnez de poivre et servez aussitôt.

Salade de pommes de terre à la grecque

Salade rafraîchissante à servir par temps chaud. Des poivrons verts, jaunes et rouges y apporteront de la couleur.

Pour 6 personnes :

1 kg de petites pommes de terre nouvelles, avec la peau
125 ml de jus de citron
125 ml d'huile d'olive
2 gousses d'ail pilées
1,5 cuillerée de menthe hachée
1 cuillerée à soupe d'origan haché
Sel et poivre
1 oignon rouge, émincé finement
2 poivrons (piments doux), coupés en rondelles
175 g de feta émiettée
2 tomates, coupées en petits morceaux
90 g d'olives noires dénoyautées
6 filets d'anchois en garniture (au choix)

Faites cuire les pommes de terre à la vapeur pendant 10 minutes jusqu'à ce qu'elles soient tendres (p. 17). Laissez-les refroidir légèrement. Incorporez, en fouettant bien pour faire un mélange homogène, le jus de citron, l'ail, l'huile, la menthe et l'origan, et assaisonnez avec du sel et du poivre.

Mettez les pommes de terre (coupées en deux si elles sont trop grosses) dans un saladier, ajoutez la moitié de la sauce, remuez, puis laissez refroidir complètement. Les pommes de terre absorbent davantage de sauce si elles sont tièdes.

Une fois qu'elles sont froides, ajoutez les oignons, les poivrons, le fromage, les tomates et les olives et arrosez avec la sauce qui reste. Garnissez avec les anchois et servez ce plat à la température ambiante ou frais.

Scones aux pommes de terre

Utiliser une grande jatte pour mélanger les ingrédients secs.

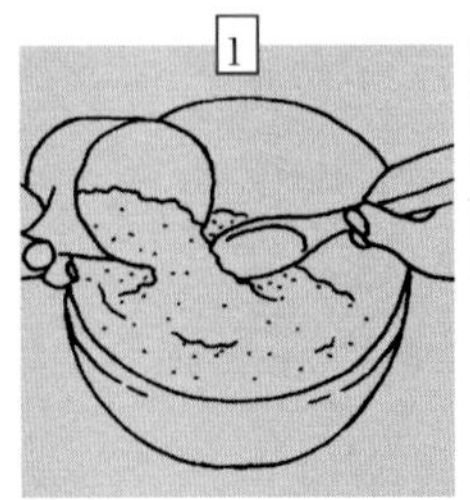

Travailler le mélange de farine du bout des doigts jusqu'à ce qu'il ait une consistance grumeleuse.

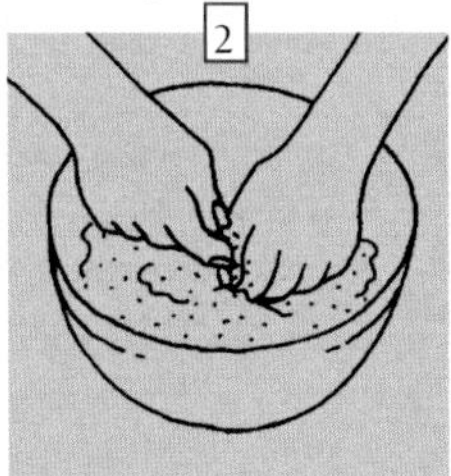

Incorporer l'œuf, les herbes, épices, ingrédients liquides et pommes de terre coupées en dés.

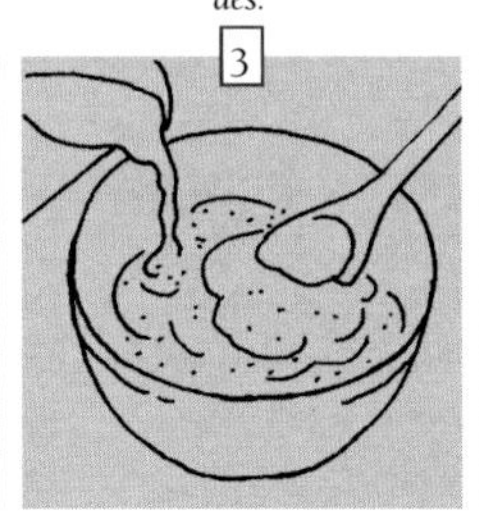

Mettre des cuillerées de ce mélange sur une plaque de four.

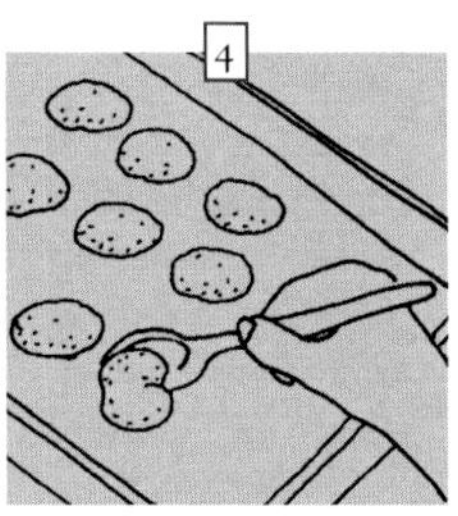

Cuisson au four à micro-ondes. *Tout le monde n'aime pas utiliser un four à micro-ondes, mais il a un avantage particulier : la régulation de température immédiate, ce qui est très important lorsque l'on veut conserver la couleur de la chair des légumes. Les rayons micro-ondes cuisent également beaucoup plus vite que la cuisson au four ou les techniques de rôtissage traditionnelles, grâce à leur aptitude à pénétrer la pomme de terre en son centre ou en sa partie la plus épaisse. Il permet également de faire d'importantes économies d'énergie, la chaleur étant concentrée sur l'aliment et pas autour, comme c'est le cas avec les fours électriques ou à gaz.*

Un des grands inconvénients est qu'il ne gratine pas comme le fait la cuisson au four traditionnelle, et par suite ne produit pas toutes les saveurs qui accompagnent ce dernier procédé. Néanmoins, la cuisson au four à micro-ondes peut être une manière nutritive de cuisiner, surtout pour la cuisson des pommes de terre en robe des champs.

Choisissez des légumes de même grosseur, piquez la peau pour en faire dégager la vapeur accumulée à l'intérieur de la pomme de terre. Faites cuire à température élevée pendant 2 minutes environ (l'intensité variant suivant la marque du four à micro-ondes, respectez les instructions du mode d'emploi du modèle), puis laissez reposer pendant 2 minutes avant de les manger. Pour avoir une pomme de terre cuite rapidement à la vapeur, faites la cuire à moitié au four à micro-ondes à température élevée, puis mettez la dans un four préchauffé, Th. 200 °C, pendant encore 10 minutes.

On peut également faire cuire au four à micro-ondes les pommes de terre épluchées et coupées en rondelles. Mettez-les dans un plat spécial, ajoutez une cuillerée à soupe d'eau, recouvrez de film alimentaire transparent (emballage plastique) dans lequel un ou deux petits trous ont été percés et faites cuire à haute température pendant 5 minutes ou jusqu'à ce que les légumes soient tendres. Laissez reposer 4 minutes. Selon le type de pommes de terre utilisé, c'est une méthode idéale pour les préparer en salade.

Crêpes aux patates douces

Choisir une patate douce à chair orange pour ce plat de crêpes. On peut les servir au petit-déjeuner avec du miel et du beurre ou comme dessert, avec du miel et de la crème Chantilly.

Pour 4 personnes :

4 gros œufs
½ cuillerée à café de sel
½ cuillerée de levure chimique
2 cuillerées à soupe de farine
1 cuillerée à soupe de sucre en poudre (extra-fin)
250 g de patates douces cuites en purée
2,5 cuillerées à soupe de beurre fondu
4 cuillerées à soupe de lait
¼ de cuillerée à soupe de cannelle en poudre
Noix de muscade fraîchement rapée
1 cuillerée à café de gingembre rapé
2 cuillerées à soupe d'huile de tournesol

Battez tous les ingrédients sauf l'huile pour en faire un mélange homogène. Faites chauffer une poêle anti-adhésive ou une plaque chauffante jusqu'à ce qu'elle soit bien chaude. Enduisez légèrement la poêle d'huile. Mettez quelques cuillerées à soupe de pâte dans la poêle et faites la tourner pour que la pâte s'étale en formant de jolis petits cercles bien ronds. Faites cuire pendant 3-4 minutes jusqu'à ce que des bulles apparaissent sur le dessus. Retournez les crêpes et faites-les cuire de l'autre côté pendant 1 minute. Recommencez jusqu'à ce qu'il ne reste plus de pâte, en huilant à nouveau la poêle au fur et à mesure. Maintenez les crêpes au chaud dans le four, Th. 120 °C jusqu'à ce qu'elles soient prêtes à servir.

Ci-dessus : Des pommes de terre en cubes grossiers mélangées à la farine donnent une apparence particulière à la pâte de ces scones. À droite : Scones aux pommes de terre mêlant les saveurs supplémentaires des graines de cumin, de l'ail et du fromage, qui ne demandent qu'un fromage blanc d'accompagnement. Et pourquoi ne pas les servir avec un potage au lieu d'un petit pain frais ?

Scones aux pommes de terre

Les ingrédients peuvent sembler impressionnants mais la préparation et la cuisson sont relativement simples et le résultat délicieux.

Pour 12 personnes :

300 g de pommes de terre fermes non-farineuses
150 g de farine
30 g de parmesan
2 cuillerées à café de levure chimique
1 cuillerée à café de moutarde en poudre
½ cuillerée à café de sel
¼ de cuillerée à café de poivre
60 g de beurre, coupé en dés et réfrigéré
2 cuillerées à soupe d'huile d'olive
1 gros oeuf, légèrement battu
2 gousses d'ail, pilées
1 cuillerée à soupe de graines de cumin
75 ml de lait écrémé
Fromage blanc velouté allégé

Faites cuire les pommes de terre à la vapeur jusqu'à ce qu'elles soient tendres (p. 17). Épluchez-les, coupez-les en dés de 5mm et mettez-les de côté.

Mélangez la farine, le parmesan, la levure chimique, la moutarde, le sel et le poivre. Incorporez le beurre dans la farine en mélangeant du bout des doigts, jusqu'à ce que l'ensemble soit grumeleux. Ajoutez l'huile, l'œuf, l'ail, les graines de cumin et le lait pour juste les mélanger. Incorporez doucement les pommes de terre coupées en dés en les imprégnant bien du mélange à base de farine, sans les écraser en purée.

Sur une plaque de four non graissée, répartissez des petits tas de ce mélange d'une cuillerée à soupe chacun, tous les 2,5 cm. Faites cuire dans un four préchauffé, Th. 200 °C, pendant 12-15 minutes ou jusqu'à ce que les scones soient légèrement dorées. Servez avec du fromage blanc velouté ou pour accompagner un potage.

Purée de pommes de terre

Ce n'est pas à proprement parler une méthode mais tout ouvrage sur les pommes de terre qui se respecte se doit de faire une mention spéciale pour cette préparation. Les pommes de terre écrasées n'ont pas besoin de conserver leur forme d'origine, c'est pourquoi les pommes de terre farineuses riches en amidon sont les meilleures variétés à utiliser. Les cuisiniers chevronnés évitent d'avoir recours aux mixers et, à leur place, préfèrent se servir d'un bon vieux presse-purée ou d'une large fourchette.

Il faut d'abord cuire les pommes de terre à l'eau (p. 10) ou à la vapeur (p. 17). Il est préférable de les faire cuire avec la peau pour les empêcher de se gorger d'eau. Certains recommandent de mettre le quart d'un citron dans l'eau bouillante pour empêcher les pommes de terre de se morceler.

Épluchez les pommes de terre cuites et laissez-les reposer pendant environ 5 minutes sous un torchon propre, puis écrasez-les pendant qu'elles sont encore chaudes, en effectuant un mouvement de va-et-vient vertical pour faire rentrer autant d'air que possible, et leur donner une consistance légère et moelleuse. Incorporez alors lait, beurre ou autre.

La consistance de la purée dépend du type de plat que l'on veut servir. Une purée plutôt sèche et assez ferme demande environ 60 g de beurre et 150-175 ml de lait par kilo de pommes de terre. Il est plus facile de lier la purée avec du lait tiède qu'avec du lait froid. Si vous devez maintenir la purée au chaud avant de servir, parsemez le dessus de deux ou trois noisettes de beurre et couvrez le plat avec de l'aluminium ménager. Juste avant de servir, incorporez le beurre dans les pommes de terre.

Purée de pommes de terre

Que vous le croyiez ou non, une purée de pommes de terre est le résultat de tout un art pour produire un plat terriblement tentant. Les pommes de terre doivent être à la fois crémeuses, moelleuses, légères et mousseuses, et quel que soit le reste du repas, il y a aura toujours quelqu'un qui fera l'éloge de la purée. Utilisez des vieilles pommes de terre à chair farineuse.

Pour 4 personnes :

2 livres de pommes de terre
45 g – 3 cuillerées à soupe de beurre
200 ml de lait tiède
Sel et poivre, s'il y a lieu

Mettez les pommes de terre, avec la peau, dans une casserole et recouvrez-les juste d'eau. Portez à ébullition, couvrez la casserole et laissez mijoter pendant 25-30 minutes jusqu'à ce qu'elles soient tendres. Égouttez-les bien, épluchez-les et couvrez-les avec un torchon pendant 5 minutes pour que l'humidité s'évapore. Des pommes de terre gorgées d'eau ne prennent pas une consistance onctueuse.

Écrasez les pommes de terre en les remuant bien, en effectuant un mouvement de va-et-vient vertical, puis repoussez-les sur les côtés de la casserole, pour laisser un puits au milieu. Ajoutez le lait et le beurre et incorporez-les rapidement à l'aide d'une fourchette jusqu'à ce que vous ayez un mélange bien crémeux. Assaisonnez avec le sel et le poivre.

Toute une variété d'oignons doux entrent dans la composition de la soupe à la purée de pommes de terre parfumée au thym (p. 27). Le mélange de serpolet citronné et de thym cultivé donnera une saveur originale.

Non farineuses ou farineuses ? *Si vous êtes indécis sur le type de pommes de terre à acheter, voici un test bien connu qui vous aidera à voir si la pomme de terre est farineuse ou non. Préparer une solution de 2 doses d'eau pour 1 dose de sel. La pomme de terre non farineuse flotte, la farineuse tombe au fond.*

Purée de pommes de terre

Mettre les pommes de terre, avec la peau, dans une casserole d'eau froide et porter à ébullition. Faire cuire.

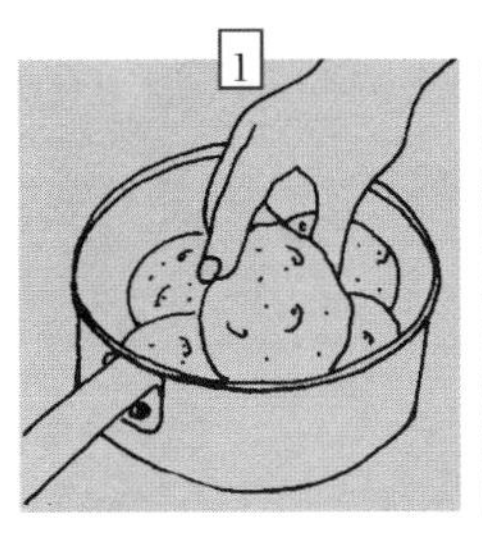

Égoutter, puis éplucher les pommes de terre et couvrir avec un torchon propre.

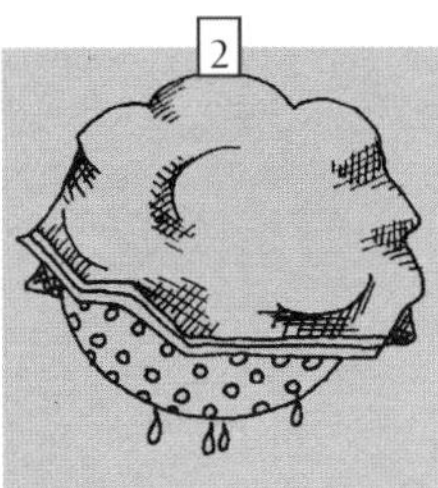

Les écraser en effectuant un mouvement de va-et-vient vertical.

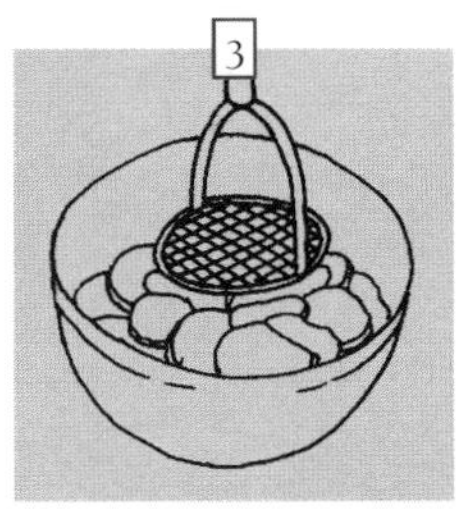

Incorporer le lait et le beurre pour obtenir un mélange onctueux.

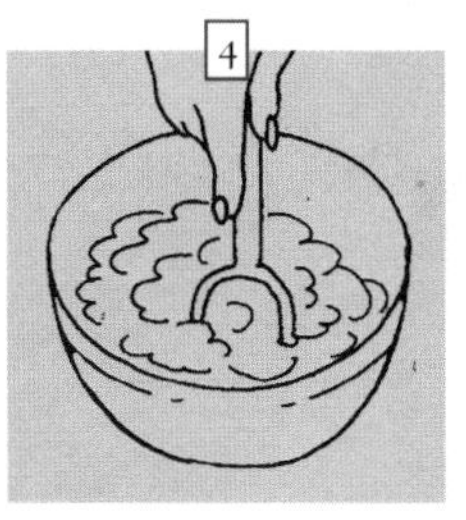

Soupe à la purée de pommes de terre parfumée au thym

Pour 4 personnes :
15 g de beurre
1 oignon, finement haché
2 oignons verts (ciboule) coupés en petits morceaux
3 échalotes hachées menu
2 cuillerées à café de thym haché
1 livre de pommes de terre, cuites et écrasées en purée (p. 22)
4 cuillerées à soupe de vin blanc sec
Sel et poivre
3 cuillerées à soupe de ciboulette coupée en petits morceaux, en garniture

Faites fondre le beurre dans une grande casserole à fond épais, ajoutez les oignons et les échalotes et faites cuire pendant 3-4 minutes jusqu'à ce qu'ils soient moelleux mais pas roussis. Ajoutez le bouillon et le thym et portez à ébullition. Incorporez progressivement la purée de pommes de terre et ramenez à ébullition. Réduire le feu et ajoutez le vin puis laissez mijoter pendant 5 minutes. Assaisonnez avec du sel et du poivre. Servez garni de ciboulette.

Soupe de pommes de terre aux oignons

Soupe française classique, facile à préparer, avec des pommes de terre farineuses puisqu'elles sont en purée.

Pour 4 personnes :
1 livre de pommes de terre
4 petits oignons, hachés menu
125 g de beurre
60 g de farine
750 ml de bouillon
150 ml de lait
Sel et poivre
1 cuillerée à soupe de persil haché, en garniture

Faites cuire les pommes de terre à l'eau, épluchez-les et écrasez-les en purée. Dans une grande casserole ou cocotte d'un litre à fond épais, faites revenir l'oignon dans le beurre pendant 5 minutes, à feu doux. Ajoutez la farine et remuez pour obtenir un mélange pâteux épais (le roux), ajoutez peu à peu le bouillon chaud. Portez à ébullition et faites mijoter pendant 5 minutes.

Ajoutez les pommes de terre, faites mijoter pendant encore 5 minutes, puis ajoutez le lait. Assaisonnez avec le sel et le poivre, puis passez au mixer pour liquéfier tous les ingrédients. Garnissez avec le persil.

A gauche : Soupe à la purée de pommes de terre parfumée au thym, veloutée et onctueuse aux délicieuses senteurs aromatiques. Servez avec les scones aux pommes de terre.

Au verso : Les boulettes de pommes de terre aux herbes (p. 47) constituent une entrée agréable. On utilise des herbes aromatiques séchées et de la ciboulette fraîche dans cette recette. En faire frire quelques-unes seulement à la fois à grande friture pour qu'elles soient bien croustillantes.

Pommes de terre et carottes au gratin

Plat simple et facile à préparer pour le plus grand plaisir des végétariens.

Pour 6 personnes :
1,5 livre de pommes de terre
60 g de beurre
3 cuillerées à soupe de crème fraîche
3 cuillerées à soupe de lait
Sel et poivre
1,5 livre de carottes, coupées grossièrement
1 oignon, coupé en dés
½ litre de bouillon
1 cuillerée à café de moutarde
125 ml de mayonnaise
15 g de beurre, pour dorer
1 cuillerée à soupe de lait, pour dorer

Faites cuire les pommes de terre à l'eau (p. 10) jusqu'à ce qu'elles soient tendres, égouttez-les, laissez-les refroidir et épluchez-les. Ajoutez le beurre et écrasez pour faire une purée onctueuse. Incorporez la crème et le lait et assaisonnez à volonté. Mettez les carottes dans une autre casserole, avec l'oignon et le bouillon. Portez à ébullition, réduisez le feu et laissez mijoter pendant 20 minutes jusqu'à ce qu'elles soient tendres. Égouttez et mettez de côté 2 cuillerées à soupe du liquide de cuisson des carottes. Transvasez ce liquide et les carottes cuites dans le bol du mixer, avec la moutarde et la mayonnaise. Assaisonnez à volonté et réduisez en purée.

Dans un plat à gratin, étalez une couche de purée de pommes de terre puis une couche de purée de carottes. Badigeonnez la couche du dessus avec le lait qui reste puis parsemez de petites noisettes de beurre. Mettez le plat dans un four préchauffé à Th. 180 °C pendant 30 minutes jusqu'à ce que le dessus soit gratiné.

Ci-dessous et à droite : Pommes de terre et carottes au gratin accompagnent à merveille des saucisses grillées. Une façon de rehausser le banal plat de saucisses à la purée.

Purée de pommes de terre à la crème

Un des plats favoris en Italie.

Pour 6 personnes :

½ oignon moyen, émincé
175 g de beurre
1 cuillerée à café de farine
2 cuillerées à café de persil
Une pincée de noix de muscade
Sel et poivre
250 ml de crème fraîche liquide
1 kg de pommes de terre, cuites et en purée (p. 22)

Faites ramollir l'oignon pendant environ 2 minutes, à feu doux. Ajoutez la farine, le persil, la noix de muscade, le sel et le poivre. Faites bien chauffer le mélange et laissez-le bouillonner avant d'ajouter la crème. Remuez sans arrêt et ramenez à ébullition avant d'ajouter les pommes de terre. Laissez reposer pendant 5 minutes avant de servir.

Saler. *Quelle que soit la méthode utilisée pour faire cuire les pommes de terre, salez ou utilisez des additifs salés avec modération. Le sel extrait les éléments nutritifs des légumes et par suite en détruit la saveur.*

Petits pâtés de pommes de terre au curry

Pour 4 personnes :

275 g de pommes de terre chaudes en purée (p. 22)
1 œuf
¼ de cuillerée à café de curry en poudre
1 cuillerée à café de persil haché
15 g de beurre ou margarine
1 citron, coupé en quartiers

Mettez la purée de pommes de terre dans une jatte et ajoutez l'œuf, le curry et le persil. Mélangez bien pour lier le tout. Sur une plaque de four graissée, disposez le mélange partagé en quatre petits pâtés aplatis légèrement au milieu. Mettez une noisette de beurre au milieu de chaque petit pâté et faites-les cuire dans un four préchauffé, Th. 200 °C, pendant 10 minutes jusqu'à ce qu'ils soient bien chauds de part en part. Servez-les arrosés de jus de citron.

Décoloration. *Les pommes de terre noircissent parfois après avoir été épluchées, cette décoloration, inesthétique mais sans danger, peut être éliminée en ajoutant un peu de jus de citron ou de vinaigre dans l'eau de cuisson.*

Gâteau de pommes de terre au chocolat

Un vrai régal servi avec une crème de pommes de terre !

125 g de beurre
125 g de sucre
225 g de purée de pommes de terre (p. 22)
155 g de farine
Une pincée de sel
2 cuillerées à café de levure chimique
2 cuillerées à soupe de cacao
Quelques gouttes d'extrait de vanille (concentré)

Mélangez en fouettant le beurre et le sucre et ajoutez la purée de pommes de terre. Incorporez la farine tamisée, le sel, la poudre levante et le cacao. Ajoutez la vanille et suffisamment d'eau pour faire une pâte épaisse. Versez le mélange dans un moule beurré et fariné et faites cuire dans un four préchauffé, Th. 190 °C, pendant 2 heures. Laissez le gâteau se resserrer et faites-le refroidir avant de le retourner. Gardez le 24 heures avant de le partager en deux pour le fourrer au milieu et sur le dessus avec la crème de pommes de terre.

Crème de pommes de terre

Garniture de gâteau originale. Pour cette recette, on obtient du sucre vanillé en mettant 1 ou 2 gousses de vanille dans un récipient de sucre en poudre. Le sucre semoule convient le mieux pour retenir les saveurs et les arômes.

225 g de purée de pommes de terre (p. 22)
275 g de sucre semoule
1 cuillerée à soupe de sucre vanillé
275 g de beurre
60 g de noix hachées
2 cuillerées à soupe de rhum, flambé

Passez la purée de pommes de terre au chinois, deux fois pour la rendre parfaitement onctueuse, puis ajoutez les sucres. Battez le beurre en crème, incorporez la purée de pommes de terre et fouettez jusqu'à ce que le mélange soit léger et moelleux. Ajoutez les noix et le rhum.

Crème de pommes de terre

Passer la purée de pommes de terre au chinois deux fois

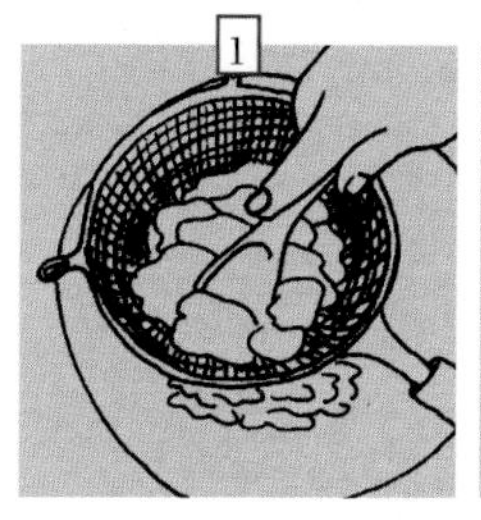

Incorporer le beurre en crème et les sucres, puis fouetter jusqu'à ce que le mélange soit léger et mousseux.

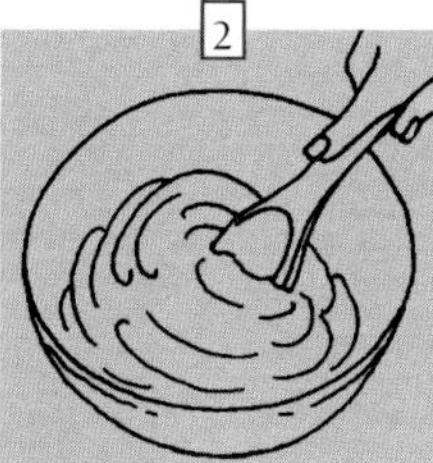

Ajouter les noix au mélange.

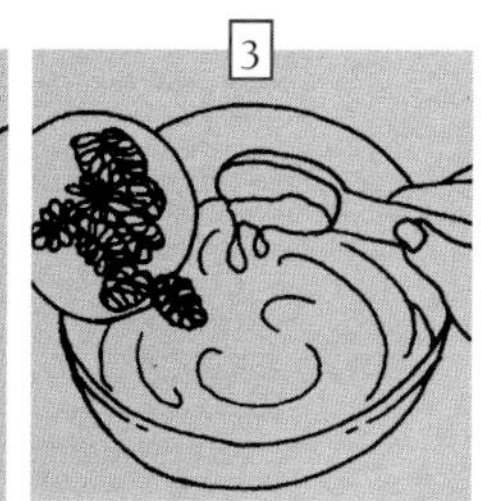

Incorporer doucement le rhum dans la crème de pommes de terre et remuer.

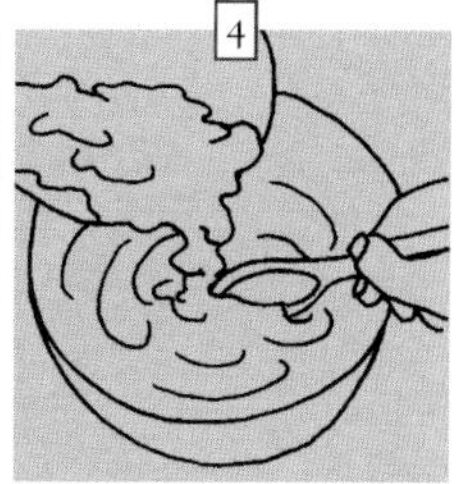

Pommes de terre au four

Cette technique demande que les aliments soit enfermés dans une enceinte distributrice de chaleur, à savoir le four, et la cuisson repose sur la chaleur provenant des parois ou de la convection d'air chaud. Les températures vont de 150 °C à 240 °C.

Les pommes de terre farineuses conviennent bien pour la cuisson au four parce que les amidons se développent sous l'effet de la chaleur intense et les pommes de terre deviennent mousseuses à l'intérieur.

Placez les pommes de terre directement sur une grille du four et faites cuire dans un four préchauffé à 230 °C pendant 1 heure. Ne mettez pas les pommes de terre trop près les unes des autres pour ne pas empêcher la peau de devenir croquante. Si vous aimez des pommes de terre à la peau croquante et à l'intérieur mousseux, faites-les cuire pendant plus d'une heure. On peut également faire cuire les pommes de terre en papillote dans une feuille de papier d'aluminium, mais le résultat est une pomme de terre pâteuse à la texture spongieuse.

Le mélange de yaourt et ciboulette fraîche constitue une garniture riche en éléments nutritifs pour des peaux de pommes de terre au four croquantes (p. 36). On peut varier les saveurs en ajoutant différentes herbes aromatiques ou épices au yaourt.

Pommes de terre au four farcies

Les grosses pommes de terre farineuses sont idéales pour cette entrée plutôt nourrissante.

Pour 6 personnes :

6 grosses pommes de terre
3 oignons verts (ciboule)
60 g de beurre
125 g de crème fraîche
2 jaunes d'œufs
Sel et poivre
1 cuillerée à café de paprika

Placez les pommes de terre directement sur une grille du four et faites cuire dans un four préchauffé Th. 200 °C pendant 30-60 minutes, jusqu'à ce qu'elles ramollissent..

Pendant ce temps, coupez environ 2 cm de la partie verte des oignons en fines rondelles. (Réservez la partie blanche pour un autre plat). Faites fondre le beurre dans une petite casserole et faites-les revenir jusqu'à ce qu'ils soient tendres puis mettez-les de côté. Fouettez la crème fraîche et les jaunes d'œufs. Une fois les pommes de terre cuites, sortez-les du four, mais laissez ce dernier allumé, coupez-les en deux, en longueur, videz la chair sans abîmer la peau. Écrasez la chair en y incorporant les oignons puis le beurre fondu et ensuite la crème fraîche et les jaunes d'œufs. Assaisonnez avec du sel et du poivre.

Remplissez les pommes de terre vidées avec ce mélange, en en mettant davantage au centre, parsemez de paprika. Remettez-les au four et faites les cuire pendant encore 10 minutes jusqu'à ce qu'elles soient bien dorées sur le dessus.

Pommes de terre au four à l'italienne

Quelques suppléments apportés à la pomme de terre au four de base en font un amuse-gueule savoureux.

Pour 4 personnes :

2 grosses pommes de terre farineuses
1 grosse tomate
8 olives noires, dénoyautées, et coupées en dés
30 g de margarine
1 cuillerée à soupe de basilic haché
Poivre
75 g de mozzarelle, en fines tranches
4 anchois, égouttés et séchés

Faites cuire les pommes de terre comme dans la recette précédente. Plongez la tomate dans l'eau bouillante pendant 2 minutes pour enlever la peau et coupez la pulpe en dés. Coupez les pommes de terre en deux horizontalement et videz la chair. Écrasez-la bien et ajoutez en remuant la tomate, les olives, la margarine, le basilic et le poivre à volonté.

Remplissez les pommes de terre vidées avec ce mélange, posez le fromage sur le dessus et disposez les filets d'anchois en diagonale sur le fromage. Placez les pommes de terre sur une plaque de four et remettez-les au four pendant encore 15 minutes jusqu'à ce que le fromage ait fondu.

Purée de patates douces

Voici un bon accompagnement pour les plats de viande relevés.

Pour 6 personnes :

1 kg de patate douces

2 grosses pommes de terre farineuses

Sel et poivre

90 g de beurre salé

Faites cuire toutes les pommes de terre et patates douces dans un four préchauffé, Th. 200 °C pendant 1 heure ou jusqu'à ce que la chair soit molle. Coupez-les en deux et videz la chair. Écrasez et faites bien chauffer dans une casserole. Assaisonnez avec du sel et du poivre, puis incorporez rapidement le beurre en fouettant. Servez avec une noix de beurre.

Chips au four

Si vous n'avez pas confiance en la méthode à grande friture, essayez de faire des frites au four. La faible quantité d'huile nécessaire en fait une alternative appréciable.

Pour 4 personnes :

1,5 livre de grosses pommes de terre

1 cuillerée à café de piment ou curry (facultatif)

2 cuillerées à café d'huile de tournesol

¼ de cuillerée à café de sel

Épluchez et coupez les pommes de terre dans le sens de la longueur en tranches de 12 mm d'épaisseur et mettez-les dans une grande jatte. Ajoutez en remuant le piment ou le curry et arrosez d'huile. Remuez pour que les pommes de terre en soit bien enrobées.

Disposez les morceaux de pommes de terre sur une plaque de four chauffée dans un four préchauffé, Th. 240°C/Gaz 9, et faites cuire pendant 20 minutes. Retournez les chips et faites cuire encore 20 minutes ou jusqu'à ce qu'elles soient croustillantes et dorées. Salez et servez chaud.

Frites

Couper les pommes de terre en tranches de 12 mm d'épaisseur

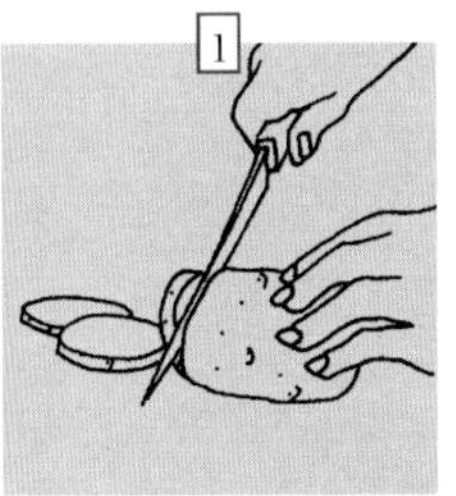

Couper ces tranches de pommes de terre en bâtonnets de 12 mm d'épaisseur.

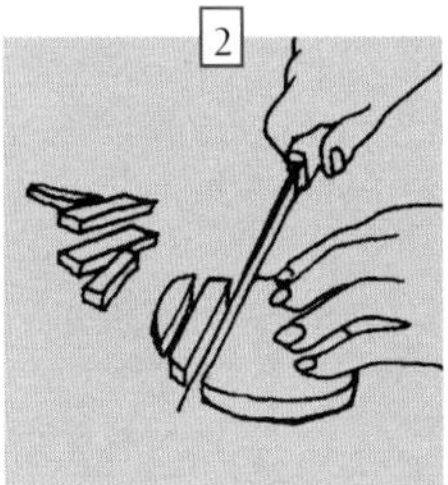

Parsemer de piment en poudre et arrosez d'huile.

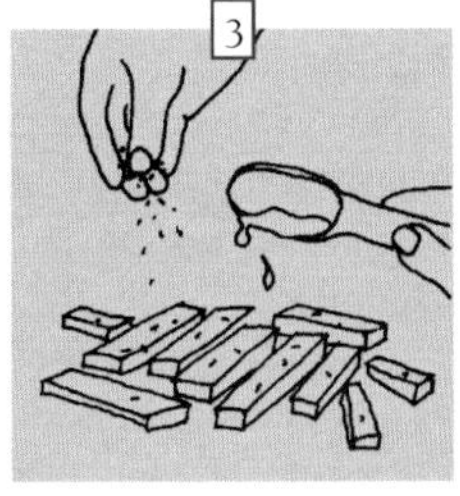

Disposer les bâtonnets de pommes de terre sur une plaque de four chaude.

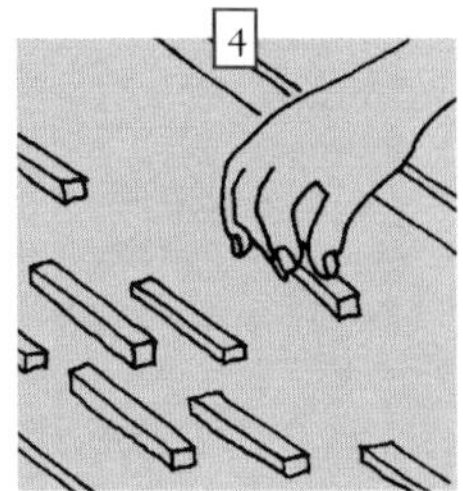

Pommes de terre au gruyère

Variante du célèbre gratin dauphinois. Ce plat peut paraître compliqué mais, en réalité, il est très simple. Vous pouvez remplacer le lait par de la crème fraîche liquide (ou un mélange des deux) et ajouter un peu d'oignons émincés ou d'ail pilé si vous souhaitez. Ce qui est pratique avec ce plat, c'est qu'il peut être préparé à l'avance.

Pour 6 personnes :

1 kg de pommes de terre
125 g de gruyère râpé
Sel et poivre
Noix de muscade fraîchement râpée
550 ml de lait
30 g de beurre

Épluchez-les pommes de terre et coupez-les en tranches fines mais sans les tremper dans l'eau froide. Beurrez légèrement un plat allant au four peu profond (1,5 l de contenance), et disposez-y les couches de pommes de terre et la plupart du fromage. Assaisonnez et saupoudrez de noix de muscade. Mettez le reste de fromage sur le dessus, versez le lait pour juste recouvrir les pommes de terre. Parsemez le dessus de noisettes de beurre, couvrez avec de l'aluminium ménager et faites cuire dans un four préchauffé, Th. 180 °C, pendant 1 heure et demie. Les pommes de terre doivent être tendres et le lait doit avoir été pratiquement tout absorbé.

Si vous ne servez pas immédiatement, laissez refroidir et réfrigérez jusqu'au moment du repas. Faites alors chauffer ce plat dans un four préchauffé, Th. 180 °C, sans le couvrir, pendant 45 minutes jusqu'à ce qu'il soit bien doré et gratiné.

Conservation. *Après l'achat des pommes de terre, une conservation prolongée réduit leur teneur en vitamine C. Ce qui a lieu également si vous conservez les pommes de terre dans l'eau froide pendant un certain temps. Conservez-les dans un endroit sombre, frais et ventilé, une cave ou un placard muni de trous d'aération par exemple. Les vieilles pommes de terre s'adaptent mieux à une longue conservation. Les pommes de terre nouvelles doivent être consommées dès que possible.*

Pommes de terre au four à la française

Pour 6 personnes :

1 kg de pommes de terre
2 cuillerées à soupe de moutarde
2 cuillerées à soupe de ciboulette cisaillée
300 ml de lait
Sel et poivre
2 cuillerées à soupe de beurre fondu

Coupez les pommes de terre en tranches de 10 mm d'épaisseur et disposez les en une seule couche dans un plat allant au four beurré (contenance : 1l). Mélangez la moutarde, la ciboulette, le lait, l'assaisonnement, et versez un peu de ce mélange sur la couche de pommes de terre. Recommencez le même procédé jusqu'à épuisement des ingrédients. Badigeonnez le dessus de la dernière couche avec le beurre fondu et couvrez le plat avec de l'aluminium ménager. Faire cuire dans un four préchauffé, Th. 180 °C, pendant 100 à 120 minutes, jusqu'à ce que les pommes de terre soient tendres et qu'on puisse les transpercer avec une fourchette.

Peaux de pommes de terre au four croquantes

La peau des pommes de terre est si riche en éléments nutritifs que les cuisiniers américains ont imaginé une manière originale de la servir, en snack ou en amuse-gueule avant le plat principal.

Pour 4 personnes :

4 pommes de terre farineuses
4 cuillerées à soupe d'huile de tournesol
Sel et poivre
300 ml de yaourt nature
2 cuillerées à soupe de ciboulette coupée en petits morceaux

À l'aide d'une brochette, percez abondamment les pommes de terre puis placez les directement sur une grille du four et faites les cuire dans un four préchauffé, Th. 200 °C, pendant 1 heure, jusqu'à ce qu'elles soient tendres. Coupez chaque pomme de terre dans le sens de la longueur et sortez presque toute la chair, en faisant attention de ne pas déchirer la peau.

Huilez légèrement une plaque de four. Disposez les peaux évidées sur cette plaque et badigeonnez-les d'huile à l'intérieur et à l'extérieur. Assaisonnez bien de sel et poivre. Montez la température du four à 220 °C et faites cuire 10 minutes jusqu'à ce qu'elles soient croustillantes.

Entre-temps, mélangez le yaourt et la ciboulette en fouettant et versez dans un bol. Servez les peaux de pommes de terre chaudes avec cette sauce au yaourt comme accompagnement.

Ragoût irlandais

Une bonne vieille recette qui a fait ses preuves et qui est toujours appréciée rehaussée par de bons morceaux de viande.

Pour 4 personnes :

1 livre de filet d'agneau, coupé en dés
2 livres de pommes de terre, coupées en tranches
2 gros oignons, émincés
Sel et poivre
2 cuillerées de persil haché, en garniture

Disposez en alternance dans une cocotte allant au four des couches d'agneau, de pommes de terre et d'oignon, en assaisonnant avec du sel et du poivre au fur et mesure. Terminez par une couche de pommes de terre pour couvrir parfaitement le dessus du plat. Versez de l'eau jusqu'à mi-hauteur des ingrédients. Fermez la cocotte et faites cuire dans un four préchauffé, Th. 190 °C pendant 3 heures. Servez saupoudré de persil.

Les pommes de terre au four constituent un plat bien meilleur pour la santé que les pommes de terre à l'eau, parce qu'il n'y aucune perte des éléments nutritifs dans l'eau qui est ensuite jetée.

Les peaux de pommes de terre croquantes constituent une entrée idéale dans un repas. La peau chaude et croustillante se marie bien avec le contraste du froid de la garniture crémeuse.

Pommes de terre rôties

Les pommes de terre farineuses conviennent le mieux pour le rôtissage. Cette méthode réussit très bien avec les petites pommes de terre nouvelles non épluchées ou des plus grosses qui peuvent être coupées en gros cubes. Les pommes de terre sont cuites lorsque l'on peut les piquer facilement au centre avec une fourchette. On compose de délicieuses variantes en ajoutant des herbes aromatiques fraîches ou séchées, telles que le romarin, ou bien des oignons et une touche de paprika.

Pommes de terre en robe des champs rôties

Pour 4 personnes :

1 kg de pommes de terre petites ou moyennes
2 cuillerées à soupe d'huile d'olive ou de tournesol
2 cuillerées à soupe de romarin haché (facultatif)

Coupez les pommes de terre en cubes de 2,5 cm. Versez l'huile dans un plat à rôtir peu profond et placez celui-ci dans un four préchauffé, Th. 220 °C, jusqu'à ce qu'il soit bien chaud. Ajoutez alors les pommes de terre et remuez-les pour bien les enduire d'huile. Faites rôtir au four pendant 1 heure, en remuant de temps en temps, jusqu'à ce qu'elles soient croustillantes et bien dorées. On peut ajouter le romarin au moment où on les remue.

Petites pommes de terre rôties croustillantes

Pour mettre en appétit, un plat de petites pommes de terre rôties, très assaisonné et à servir avec l'apéritif avant un repas. Toutes les variétés de pommes de terre conviennent. Si la technique de cuisson est simple, 3 heures de patience sont toutefois nécessaires.

Pour 8 personnes, avec l'apéritif :

1,5 kg de pommes de terre
175 g de farine
Sel et poivre
250 ml d'huile d'olive ou de tournesol

Faites cuire partiellement les pommes de terre à l'eau, avec la peau, pendant 15 minutes, puis égouttez-les, laissez-les refroidir et épluchez-les. Coupez-les en petits dés de taille régulière, puis enrobez-les de la farine assaisonnée de sel et de poivre. Partagez l'huile entre deux plats à rôtir, 5 mm maximum de haut seulement, et mettez les plats dans un four préchauffé, Th. 200 °C, jusqu'à ce que l'huile soit chaude. Mettez alors les pommes de terre dans l'huile chaude et faites rôtir au four pendant au moins 2 heures, jusqu'à ce qu'elles soient très croustillantes. Assaisonnez avec du sel et du poivre et servez.

Les pommes de terre d'Hasselbach (p. 40), aux découpes décoratives et avec leurs garnitures à l'ail et aux herbes aromatiques fraîches, rehaussent à merveille un rôti tout simple.

Pendant la préparation des pommes de terre d'Hasselbach, garnir les incisions d'ail frais, origan ou autres herbes aromatiques fraîches de votre choix.

Pommes de terre d'Hasselbach

Très faciles à préparer et d'aspect original. Pour agrémenter ce plat, ajoutez l'ail pilé et de l'origan haché à l'huile. Accompagne tout aussi bien les plats de viande ou de poisson.

Pour huit personnes :

16 petites pommes de terre à cuire au four
3 cuillerées à soupe d'huile
Sel et poivre

Épluchez et coupez les pommes de terre, aux trois quarts seulement, dans le sens de la largeur, tous les 6mm. Disposez-les en une seule couche dans un plat à rôtir huilé. Badigeonnez les pommes de terre d'huile et assaisonnez-les. Faites-les rôtir, sans les couvrir, dans un four préchauffé, Th. 180 °C, pendant 1 heure ou jusqu'à ce qu'elles soient entièrement cuites.

Pommes de terre d'Hasselbach

Couper la pomme de terre, aux trois quarts seulement, dans le sens de la largeur.

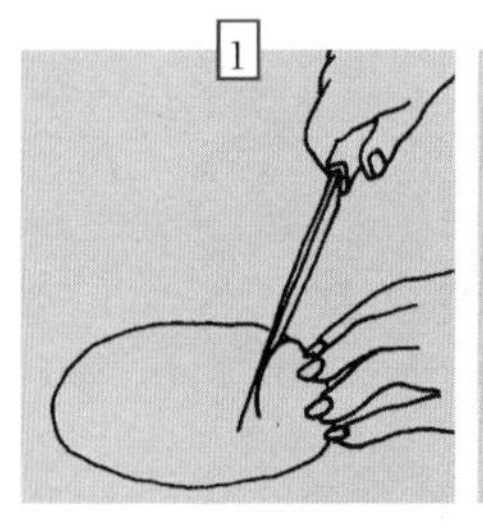

Continuer ainsi à faire des incisions tous les 6mm sur toute la longueur de la pomme de terre.

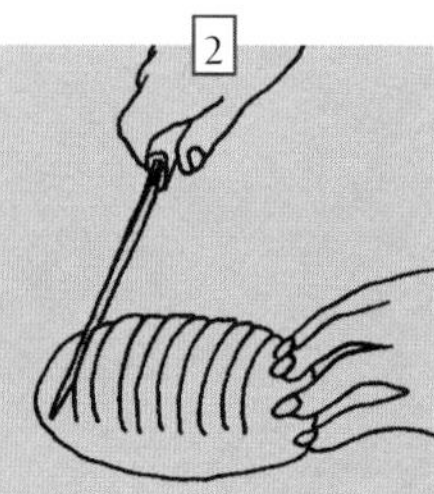

Placer les pommes de terre en une seule couche dans un plat à rôtir huilé.

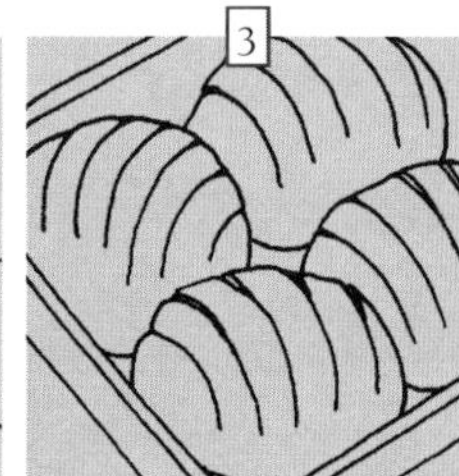

Badigeonner d'huile la surface de chaque pomme de terre et faire cuire au four.

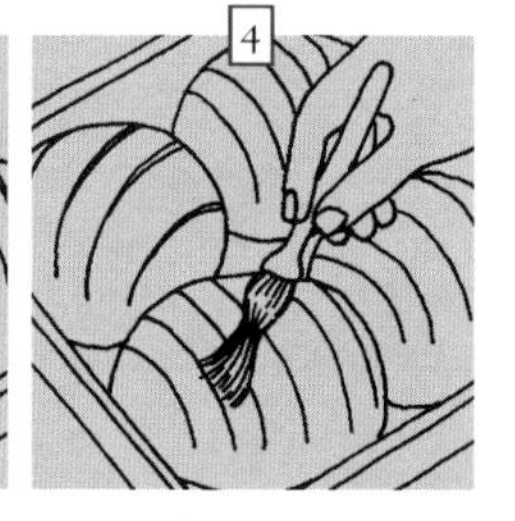

Cuisson à la poêle et à petite friture

La cuisson à la poêle signifie que l'on fait frire légèrement et rapidement des aliments dans une petite quantité d'huile ou de matière grasse, en remuant ou en tournant fréquemment. L'idée est de n'avoir qu'une petite couche d'huile entre la poêle et les aliments. L'effet est triple : l'huile lubrifie les aliments, les empêchant de coller ; les aliments sont plus uniformément en contact avec la source de chaleur ; et les saveurs changent selon le type d'huile ou de matière grasse utilisées.

Les pommes de terre à chair ferme conviennent le mieux pour ce type de cuisson. Le type d'huile ou matière grasse est également important. Si l'on utilise du beurre, ne jamais utiliser de beurre salé qui brûle dans la poêle. Pour remédier à ce problème mettre 2 à 4 cuillerées à soupe d'huile pour 60 g de beurre. Une autre alternative est d'utiliser du beurre clarifié (ghee) que l'on trouve dans la plupart des supermarchés. Blanc de bœuf, lard, bacon conviennent bien comme matières grasses, ainsi que les huiles d'olive, d'arachide, de maïs qui parfument ou de tournesol qui supporte de très hautes températures. N'oubliez pas de faire chauffer d'abord la poêle, puis ajouter l'huile, ou la matière grasse froide et utilisez toujours une grande poêle peu profonde et à fond épais.

Pommes de terre sautées au citron

Pour 6 personnes :
1 kg de pommes de terre non farineuses
15 g de beurre clarifié
Sel et poivre
Jus de 2 citrons
1 cuillerée à soupe de persil haché, en garniture

Faites cuire complètement les pommes de terre à l'eau, avec la peau. Épluchez-les et coupez-les en rondelles de 5 mm d'épaisseur. Faites fondre le beurre dans une poêle, puis disposez une couche de pommes de pommes de terre. Assaisonnez et arrosez de jus de citron. Recommencez ainsi jusqu'à épuisement des pommes de terre. Versez le jus de citron restant dans la poêle et faites cuire couvert, à feu doux pendant 15 minutes. Retirez le couvercle et faites cuire encore 10 minutes. La couche de pommes de terre du dessus est saturée de beurre et de jus, tandis que celle du dessous forme une croûte croustillante. Sortez de la poêle et garnissez de persil.

Frites croustillantes. *En trempant les pommes de terre coupées dans de l'eau salée on obtient des frites encore plus croustillantes. Toujours bien essuyer les pommes de terre dans un torchon propre avant de les plonger dans l'huile bouillante.*

Veau aux pommes de terre

Plat aromatique de la région méditerranéenne.

Pour 6 personnes :
1,5 livre de pommes de terre non farineuses
220 g de beurre clarifié
1 kg de côtes de veau
2 oignons, émincés
1 livre de tomates mûres, pelées et coupées en morceaux
125 ml de vin blanc sec
600 ml de bouillon de volaille
4 feuilles de laurier
Sel et poivre blanc

Épluchez les pommes de terre et coupez-les horizontalement en tranches. Faites chauffer une grande poêle et faites fondre la moitié du beurre. Faites sauter les pommes de terre jusqu'à mi-cuisson puis mettez-les de côté. Faites ensuite revenir les côtes de veau des deux côtés pendant deux à trois minutes.

Empilez les pommes de terre d'un côté d'une grande cocotte et la viande de l'autre. Dans une autre poêle, faites revenir le beurre restant et les oignons jusqu'à ce qu'ils ramollissent. Ajoutez les tomates. Faites mijoter quelques minutes, ajoutez le vin, le bouillon et les feuilles de laurier. Faites cuire pendant encore 5 minutes, puis versez ce mélange dans la cocotte de viande et pommes de terre. Assaisonnez, couvrez avec de l'aluminium ménager, puis fermez avec le couvercle pour rendre bien hermétique. Faites cuire dans un four préchauffé, Th. 160 °C, pendant 2 heures.

Pommes de terre aux épices

Note orientale exotique, les épices et les herbes aromatiques rehaussant la saveur des pommes de terre nouvelles.

Pour 6 personnes :
1 kg de petites pommes de terre nouvelles
60 g de beurre clarifié (ghee)
2 cuillerées à café de safran
4 cuillerées à café de coriandre en poudre
4 cuillerées à café de graines de cumin
2 gousses d'ail pilées
4 cuillerées à café de sucre
Sel et poivre
1 cuillerée à soupe de persil haché, en garniture
1 cuillerée à soupe de ciboulette coupée en petits morceaux, en garniture

Faites partiellement cuire les pommes de terre à l'eau pendant 5 minutes, puis égouttez-les. Faites fondre le beurre dans un plat résistant à la chaleur et lorsqu'il bouillonne, ajoutez-les épices et l'ail et faites sauter pendant 1 minute. Ajoutez-les pommes de terre et remuez-les pour bien les enduire. Saupoudrez de sucre et assaisonnez. Faites cuire dans un four préchauffé, Th. 180 °C, pendant 30 minutes, en tournant de temps en temps. Servez garni de persil et de ciboulette.

Le veau aux pommes de terre est un plat copieux riche de toutes les saveurs et de tous les arômes de la région méditerranéenne.

Galettes de pommes de terre sautées à la poêle

Mettez les pommes de terre dans l'eau froide, porter à ébullition et faites cuire.

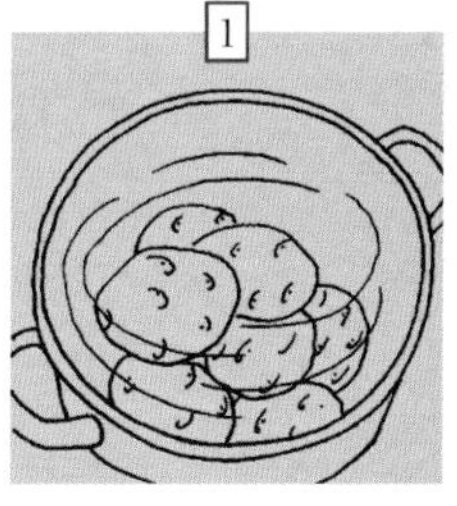

Éplucher les pommes de terre et les couper en dés.

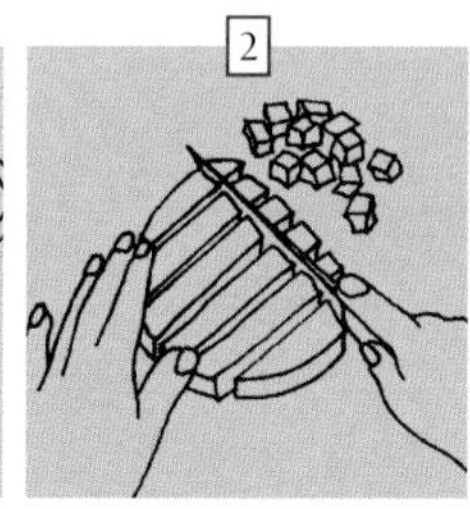

Former des petites galettes avec ces morceaux de pommes de terre.

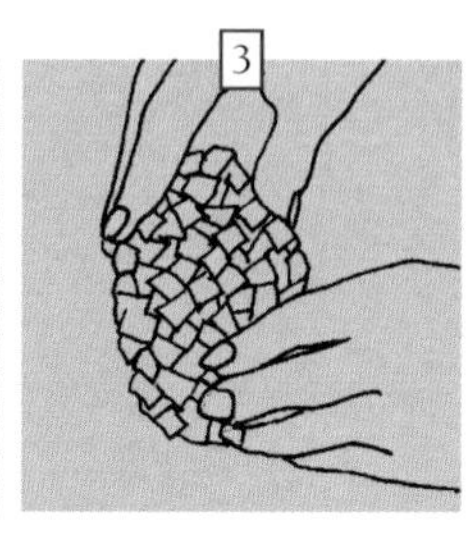

Les faire sauter à la poêle de chaque côté jusqu'à ce qu'elles soient bien roussies et croustillantes.

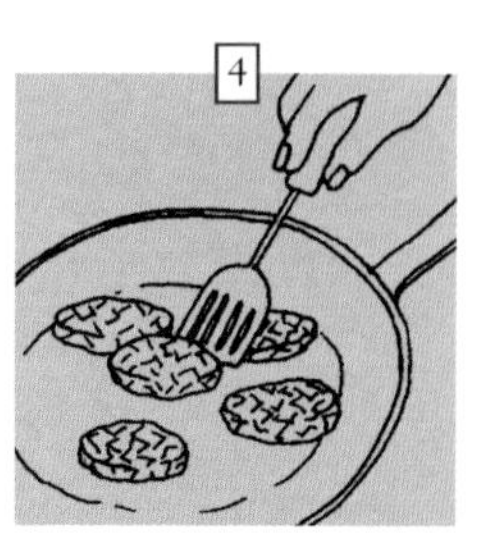

Galettes de pommes de terre sautées à la poêle

Pour 6 personnes :

1 kg de pommes de terre, avec la peau
90 g de saindoux
Sel et poivre
6 cuillerées à soupe de ciboule, parties vertes seulement, coupée en petits morceaux, en garniture
3 cuillerées à soupe de persil haché, en garniture

Couvrez les pommes de terre d'eau froide et portez à ébullition, puis laissez-les cuire doucement pendant 20 minutes jusqu'à ce qu'elles soient tendres. Égouttez-les pommes de terre, faites-les refroidir puis mettez-les au réfrigérateur sans les éplucher, ce qui peut se faire la veille de la dégustation des galettes.

Faites chauffer un peu d'huile dans une poêle, 6mm environ. Épluchez et coupez les pommes de terre en dés, puis mettez-les dans la poêle sous forme de galettes en pressant les pommes de terre avec une spatule. Faites-les cuire jusqu'à ce qu'elles soient roussies et croustillantes d'un côté, puis retournez-les et assaisonnez le dessus avec du sel et du poivre. Lorsque l'autre côté est doré et croustillant, retournez-les encore et assaisonnez à nouveau. Pour servir, coupez la galette en petites parts et saupoudrez de persil et de ciboule.

Pommes de terre sautées, première étape : les pommes de terres sont à moitié cuites et luisantes de beurre.

À la différence de la cuisson des pommes de terre sautées à la poêle, les pommes de terre frites à grande friture baignent complètement dans l'huile. Cette méthode fait penser à la cuisson à l'eau, mais l'huile, ou la matière grasse, bout à une température au moins deux fois plus élevée que celle de l'eau, et les aliments non seulement cuisent plus vite, mais il dorent uniformément tout autour. Le meilleur ustensile de cuisson est une casserole, ou friteuse, plus profonde que large.

Il est également recommandé de ne pas mettre trop d'aliments à cuire à la fois dans la friteuse, aussi, faites cuire les pommes de terre (coupées au préalable en morceaux égaux pour une cuisson uniforme) en petites quantités. Pour la cuisson à grande friture, lorsque vous ajoutez de l'huile (ne pas oublier de mettre de l'huile froide dans une poêle chaude) ajoutez-en suffisamment pour que les aliments soient recouverts mais ne dépassez pas la mi-hauteur de la friteuse. Il est toujours préférable d'utiliser de l'huile nouvelle. Des morceaux d'aliments déjà frits dans l'huile de la friture précédente donnent des odeurs et des goûts désagréables. Pour la cuisson à grande friture, les pommes de terre farineuses sont les meilleures.

Attention : La cuisson à grande friture est une des plus dangereuses techniques de cuisson. Ne jamais quitter le récipient des yeux lorsque l'on fait cuire à grande friture et toujours s'assurer que la queue du récipient soit tournée vers l'intérieur de la cuisinière. Si la matière grasse ou l'huile commence à dégager des fumées âcres, éteindre immédiatement la source de chaleur et ne pas essayer de transporter le récipient où que ce soit.

Croquettes de pommes de terre

Cette entrée bien pratique qui fait son effet demande de mettre en œuvre les deux techniques de la préparation de la purée et de la cuisson à grande friture. Vous pouvez préparer les mélanges de pommes de terre à l'avance et faire frire au dernier moment. Donnez une note différente en ajoutant du basilic ou du thym ou en remplaçant le gruyère ou le cheddar par du parmesan.

Pour 10-12 personnes :

1,5 livre de vieilles pommes de terre
30 g de beurre
1 gros oignon, coupé en dés
45 g de cheddar, ou gruyère
Farine
1 œuf
2 cuillerées à soupe de lait
125 g de chapelure
2 cuillerées à soupe de persil haché
Huile de tournesol pour la grande friture

Couvrez les pommes de terre d'eau froide, portez à ébullition, mettez un couvercle et faites-les cuire doucement pendant 30 minutes jusqu'à ce qu'elles soient tendres. Égouttez-les, épluchez-les et écrasez-les en purée. Faites fondre le beurre dans une poêle et faites cuire l'oignon jusqu'à ce qu'il soit transparent. Ajoutez la purée de pommes de terre et mélangez bien. Coupez le fromage en bâtonnets de 4 cm x 6 mm. Enfermez ces bâtonnets de fromage entre deux cuillerées à soupe du mélange de purée et enrouler pour former des petits cylindres. Passez-les ensuite dans la farine, puis trempez-les dans le mélange d'œuf et lait battus légèrement, enduisez-les ensuite du mélange de persil et chapelure. Faites cuire à grande friture jusqu'à ce que les croquettes soient bien dorées, égouttez-les sur du papier absorbant.

Cuisson à grande friture et rôtissage. *Les pommes de terre que l'on doit faire cuire à grande friture ou faire rôtir doivent toujours être mises dans de l'huile ou de la matière grasse chaude pour qu'elles soient saisies tout autour et pour éviter qu'elles soient pâteuses. Pour assurer le succès de la cuisson à grande friture, il vous faut une huile propre et à la température correcte.*

Frites

Une des recettes de pommes de terre les plus universelles et les mieux aimées. Les ingrédients sont on ne peut plus simples, mais pour la grande friture, prévoyez suffisamment d'huile pour remplir la friteuse à mi-hauteur. N'oubliez pas non plus de faire cuire les frites par petites quantités pour qu'elles ne collent pas toutes ensemble.

Pour quatre personnes :
Huile de tournesol ou d'arachide
4 grosses pommes de terre farineuses
Sel et poivre

Mettez de l'huile dans une grande friteuse chaude et faites-la chauffer doucement. Épluchez les pommes de terre, rincez-les et mettez-les dans une jatte d'eau froide. Coupez-les en bâtonnets de 5 cm X 12 mm, puis mettez-les à nouveau dans de l'eau froide en attendant que l'huile chauffe.

Essuyez bien une première quantité de pommes de terres ainsi coupées dans un torchon propre ; lorsqu'elles sont tout à fait sèches, plongez-les dans l'huile. Un panier à friture aide à les tremper et les sortir de l'huile chaude. Faites-les cuire pendant 5 minutes ou jusqu'à ce qu'elles paraissent molles et légères, sans être dorées. Secouez le panier de temps en temps pour garantir une cuisson uniforme, puis soulevez le panier hors de l'huile et égouttez.

À ce moment là, les frites sont partiellement cuites et peuvent être laissées de côté pendant plusieurs heures.

Pour terminer la cuisson, faire chauffer à nouveau l'huile, plongez les frites dans l'huile bien chaude pour les faire dorer. Il faut 2 à 3 minutes.

Pour les maintenir chaudes pendant la cuisson du reste, égouttez-les et mettez-les sur un plat de service chaud que l'on garde au chaud au four, Th. 140 °C. Juste avant de servir, assaisonnez avec du sel et du poivre.

Cuisson des frites à grande friture

Couper les pommes de terre en bâtonnets de 5 cm de long x 12 mm d'épaisseur.

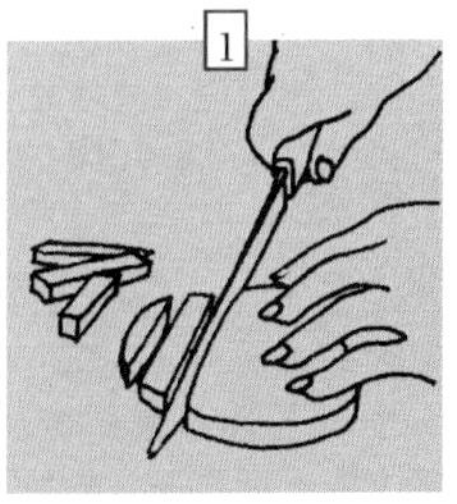

Bien essuyer les pommes de terres ainsi coupées dans un torchon propre.

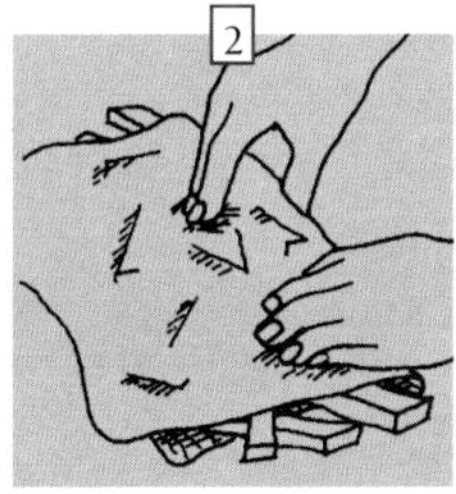

Les mettre ensuite dans un panier à friture.

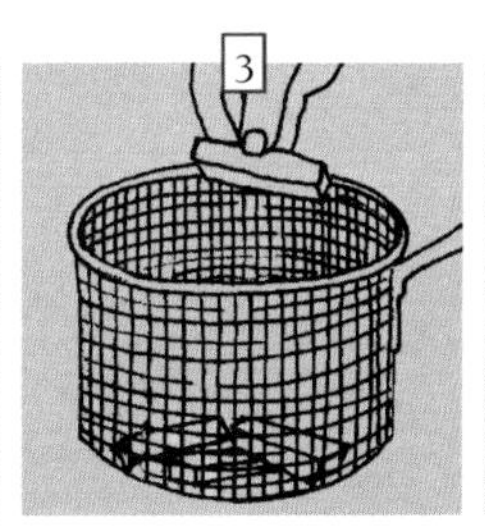

Plonger le panier de frites dans l'huile bien chaude.

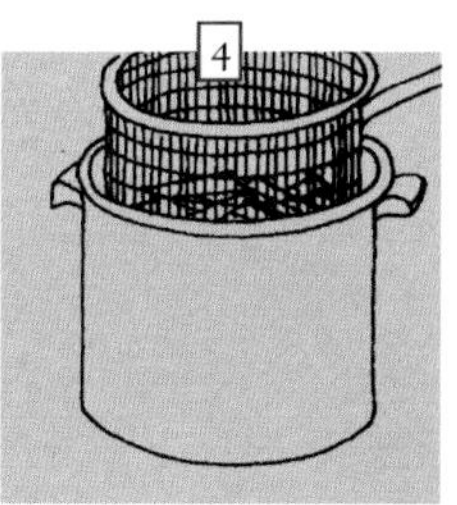

Les boulettes de pommes de terre aux herbes prennent mieux la friture si les ingrédients crus sont pratiquement secs et si on les fait cuire dès qu'elles ont été roulées dans la chapelure.

Boulettes de pommes de terre aux herbes

Met savoureux pour une soirée de fête.

Pour 30 boulettes environ :

1 kg de pommes de terre
3 cuillerées à soupe de mayonnaise
1 cuillerée à café de moutarde
1 gousse d'ail pilée
4 oignons verts (ciboule), hachés
2 cuillerées à soupe de ciboulette coupée en petits morceaux
½ cuillerée à café de mélange d'herbes aromatiques séchées
2 cuillerées à café de persil haché
Sel et poivre
2 œufs
3 cuillerées à soupe de lait
125 g de chapelure du commerce
Huile pour la grande friture

Préparez les pommes de terre selon la méthode de la purée (p. 22). Ajoutez la mayonnaise et la moutarde et mélangez-les bien. Ajoutez l'ail, les oignons verts, les herbes aromatiques et le persil, et assaisonnez avec du sel et du poivre.

Formez des boulettes de 2,5 cm de grosseur avec ce mélange. Enrobez-les bien du mélange d'œuf et lait battus légèrement, puis roulez-les dans la chapelure. Repassez-les dans le mélange d'œuf et lait puis dans la chapelure. Faites-les frire à grande friture dans l'huile bien chaude jusqu'à ce qu'elles soient bien dorées.

Beurre clarifié : Pure matière grasse du beurre ; beurre duquel on a extrait l'eau et tous les solides non gras. Il peut chauffer à haute température sans brûler.

Bouillon : Liquide produit en faisant mijoter de la viande et des légumes dans l'eau pendant au moins trois heures pour en extraire les saveurs. Utilisé pour rehausser le goût des sauces et des soupes.

Croquettes : Croustillantes une fois cuites, elles sont composées d'un mélange à base de purée de pommes de terre roulé dans de l'œuf et de la chapelure, de forme allongée ou en boulettes, et cuites à grande friture.

Dés : Façon de couper les aliments en petits cubes.

Faire mijoter : Faire cuire dans un liquide en maintenant juste au-dessous du point d'ébullition. La surface doit frissonner.

Faire sauter : Faire cuire rapidement, ou faire frire légèrement dans une petite quantité d'huile ou de matière grasse.

Flambés : Aliment(s) cuit(s) ou servi(s) dans des alcools que l'on enflamme.

Ghee : Beurre clarifié à base de lait de vache (et parfois de bufflonne), utilisé dans la cuisine indienne.

Huile d'arachide : Utilisée pour faire frire à petite ou grande friture lorsque l'on veut apporter des saveurs supplémentaires.

Huile d'olive : Huile extraite des fruits de l'olivier. La première pression à froid donne l'huile extra vierge, d'excellente qualité et saveur.

Levure chimique : Un mélange de produits chimiques à base de bicarbonate de soude et de crème de tartre qui fait lever les pâtes à pain, gâteaux, scones ou brioches pendant la cuisson.

Mi-cuisson : Bouillir jusqu'à ce que les aliments soient à moitié cuits.

Noix de coco déshydratée : Pulpe de la noix de coco séchée ou déshydratée utilisée pour les desserts et comme accompagnement des plats au curry.

Paprika : Épice en poudre provenant de la pulpe du piment doux rouge (et parfois également des graines et tiges).

Pâte à crêpes : Mélange de farine, œufs et liquide tel que lait, eau ou même bière. Les pâtes à crêpes sucrées peuvent parfois contenir du sucre.

Préchauffer un four : On a allumé le four suffisamment longtemps pour lui faire atteindre la température du thermostat désirée. La plupart des fours demandent 15 minutes pour atteindre cette température.

Purée : Pulpe onctueuse. Aliments cuits, passés ou mixés jusqu'à ce que la consistance soit lisse.

Roux : Mélange de beurre et farine qui sert à épaissir une sauce.